Les deux enfants étaient restés éveillés, agités et faibles à cause de la faim.
Ils avaient entendu chaque mot, et Gretel pleura des larmes amères.
« Ne t'inquiète pas, » dit Hansel, « Je crois que je sais comment on peut se sauver. »
Il sortit doucement dans le jardin. Sous la lumière de la lune, des cailloux d'un blanc éclatant brillaient comme des pièces d'argent sur le chemin. Hansel remplit ses poches de cailloux et retourna réconforter sa sœur.

The two children lay awake, restless and weak with hunger.
They had heard every word, and Gretel wept bitter tears.
"Don't worry," said Hansel, "I think I know how we can save ourselves."
He tiptoed out into the garden. Under the light of the moon, bright white pebbles shone like silver coins on the pathway. Hansel filled his pockets with pebbles and returned to comfort his sister.

Hansel et Gretel

Retold by Manju Gregory
Illustrated by Jago

French translation by Annie Arnold

Il était une fois, il y a très longtemps, vivait un pauvre bûcheron avec sa femme et ses deux enfants. Le nom du garçon était Hansel et celui de sa sœur Gretel.
En ce temps-là, une grande et terrible famine s'était répandue à travers tout le pays.
Un soir le père se tourna vers sa femme et soupira, « Il y a à peine assez de pain pour nous nourrir. »
« Ecoute-moi, » dit sa femme. « Nous allons emmener les enfants dans les bois et nous les laisserons là-bas. Ils peuvent se débrouiller. »
« Mais ils pourraient être déchiquetés par des bêtes sauvages ! » s'écria-t-il.
« Est-ce que tu veux qu'on meure tous ? » dit-elle. Et sa femme continua, jusqu'à ce qu'il accepte.

Once upon a time, long ago, there lived a poor woodcutter with his wife and two children. The boy's name was Hansel and his sister's, Gretel. At this time a great and terrible famine had spread throughout the land. One evening the father turned to his wife and sighed, "There is scarcely enough bread to feed us."
"Listen to me," said his wife. "We will take the children into the wood and leave them there. They can take care of themselves."
"But they could be torn apart by wild beasts!" he cried.
"Do you want us all to die?" she said. And the man's wife went on and on and on, until he agreed.

Tôt le lendemain matin, avant même le lever du soleil, la mère réveilla Hansel et Gretel en les secouant.
« Levez-vous, nous allons dans les bois. Voici un morceau de pain chacun, mais ne le mangez pas en une seule fois. »
Ils partirent tous ensemble. Hansel s'arrêtait de temps en temps et se retournait vers sa maison.
« Qu'est-ce que tu fais ? » cria son père.
« Je dis seulement au revoir à mon petit chat blanc qui est assis sur le toit. »
« Bêtises ! » répliqua sa mère. « Dis la vérité. C'est le soleil levant brillant sur la cheminée. »
Secrètement Hansel laissait tomber les cailloux blancs tout le long du chemin.

Early next morning, even before sunrise, the mother shook Hansel and Gretel awake.
"Get up, we are going into the wood. Here's a piece of bread for each of you, but don't eat it all at once."
They all set off together. Hansel stopped every now and then and looked back towards his home.
"What are you doing?" shouted his father.
"Only waving goodbye to my little white cat who sits on the roof."
"Rubbish!" replied his mother. "Speak the truth. That is the morning sun shining on the chimney pot."
Secretly Hansel was dropping white pebbles along the pathway.

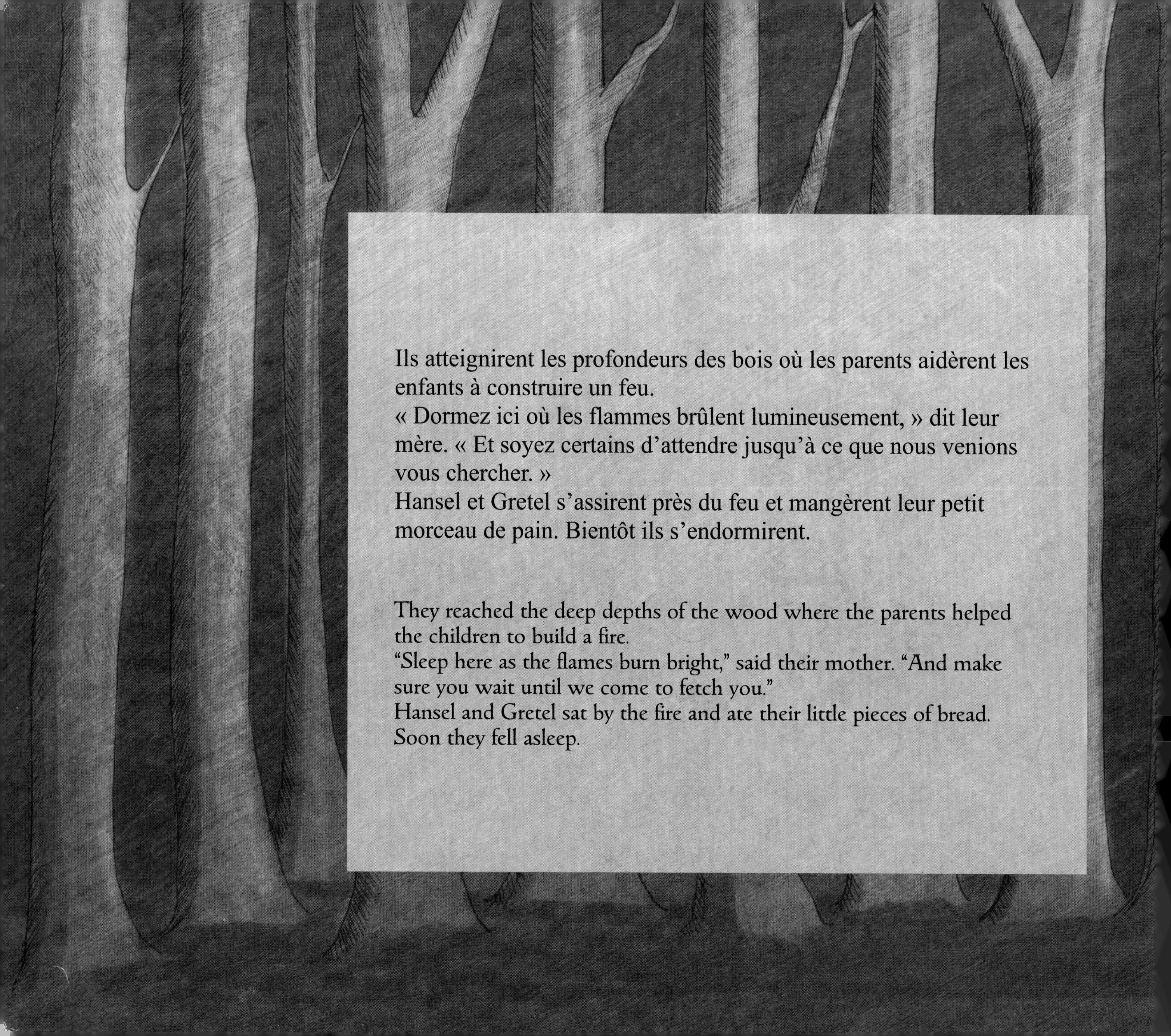

Ils atteignirent les profondeurs des bois où les parents aidèrent les enfants à construire un feu.
« Dormez ici où les flammes brûlent lumineusement, » dit leur mère. « Et soyez certains d'attendre jusqu'à ce que nous venions vous chercher. »
Hansel et Gretel s'assirent près du feu et mangèrent leur petit morceau de pain. Bientôt ils s'endormirent.

They reached the deep depths of the wood where the parents helped the children to build a fire.
"Sleep here as the flames burn bright," said their mother. "And make sure you wait until we come to fetch you."
Hansel and Gretel sat by the fire and ate their little pieces of bread. Soon they fell asleep.

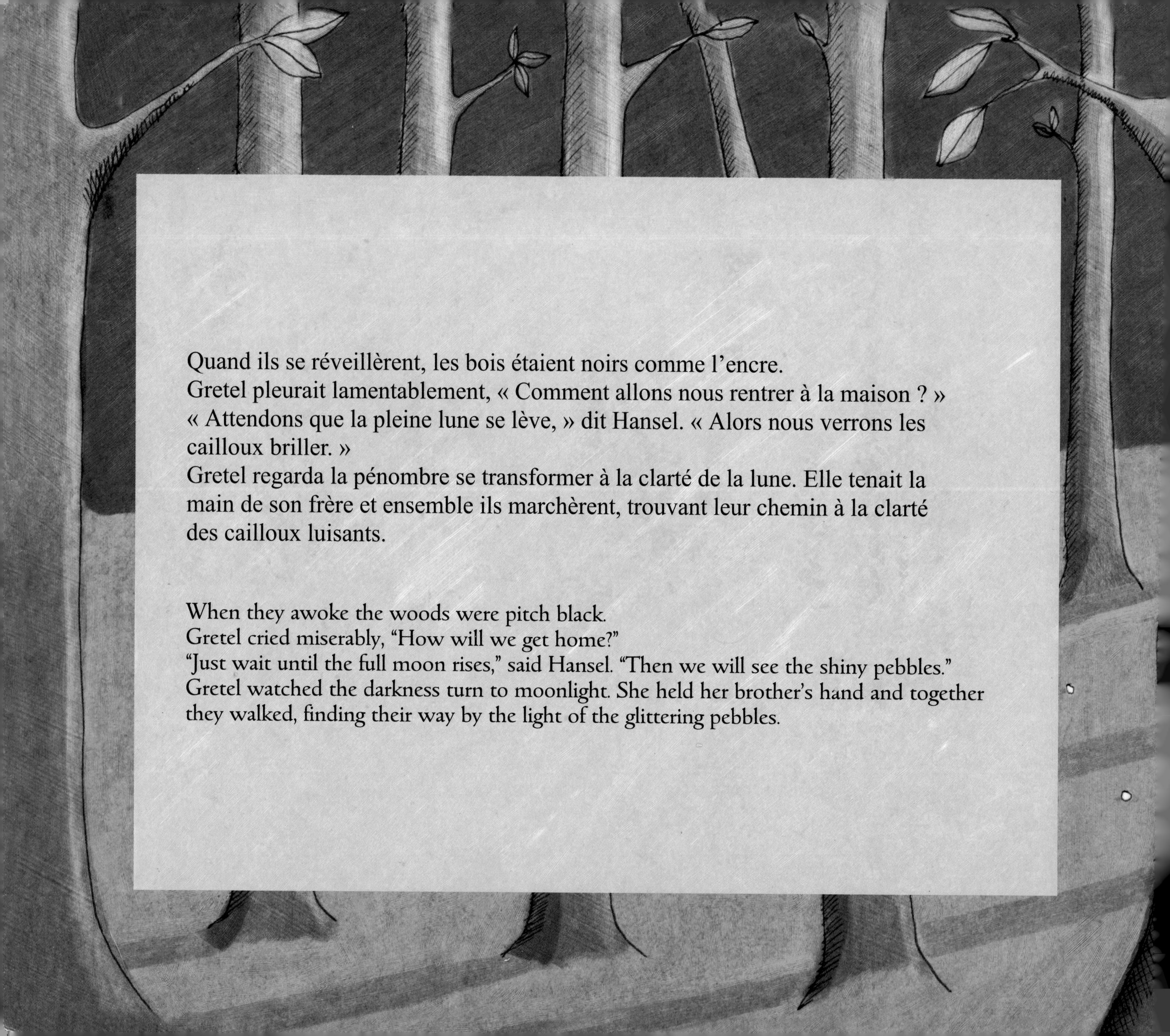

Quand ils se réveillèrent, les bois étaient noirs comme l'encre.
Gretel pleurait lamentablement, « Comment allons nous rentrer à la maison ? »
« Attendons que la pleine lune se lève, » dit Hansel. « Alors nous verrons les cailloux briller. »
Gretel regarda la pénombre se transformer à la clarté de la lune. Elle tenait la main de son frère et ensemble ils marchèrent, trouvant leur chemin à la clarté des cailloux luisants.

When they awoke the woods were pitch black.
Gretel cried miserably, "How will we get home?"
"Just wait until the full moon rises," said Hansel. "Then we will see the shiny pebbles."
Gretel watched the darkness turn to moonlight. She held her brother's hand and together they walked, finding their way by the light of the glittering pebbles.

Au petit matin, ils atteignirent le cottage du bûcheron.
Quand elle ouvrit la porte, leur mère hurla, « Pourquoi avez-vous dormi si longtemps dans les bois ? Je croyais que vous ne reviendriez jamais à la maison. »
Elle était furieuse, mais leur père était heureux. Il avait détesté les laisser tous seuls.

Le temps passa. Il n'y avait toujours pas assez de nourriture pour nourrir la famille.
Une nuit Hansel et Gretel surprirent leur mère disant, « Les enfants doivent partir.
Nous les emmènerons plus loin dans les bois. Cette fois-ci ils ne s'en sortiront pas. »
Hansel se glissa hors de son lit pour ramasser encore une fois des cailloux mais cette fois la porte était fermée à clé. « Ne pleure pas, » dit-il à Gretel. « Je vais réfléchir à quelque chose. Va dormir maintenant. »

Towards morning they reached the woodcutter's cottage.
As she opened the door their mother yelled, "Why have you slept so long in the woods?
I thought you were never coming home."
She was furious, but their father was happy. He had hated leaving them all alone.

Time passed. Still there was not enough food to feed the family.
One night Hansel and Gretel overheard their mother saying, "The children must go.
We will take them further into the woods. This time they will not find their way out."
Hansel crept from his bed to collect pebbles again but this time the door was locked.
"Don't cry," he told Gretel. "I will think of something. Go to sleep now."

Le lendemain, avec des morceaux de pain encore plus petits pour leur voyage, les enfants furent emmenés dans la profondeur des bois où ils n'étaient jamais allés auparavant.
De temps en temps, Hansel s'arrêtait et jetait quelques miettes par terre.
Leurs parents allumèrent un feu et leur dirent de dormir. « Nous allons couper du bois, et nous vous reprendrons quand le travail sera fini, » dit leur mère.
Gretel partagea son pain avec Hansel et ils attendirent et attendirent. Mais personne ne vint.
« Quand la lune se lèvera nous verrons les miettes de pain et retrouverons le chemin de la maison, » dit Hansel.
La lune se leva mais les miettes étaient parties. Les oiseaux et les animaux des bois avaient mangé chaque miette.

The next day, with even smaller pieces of bread for their journey, the children were led to a place deep in the woods where they had never been before. Every now and then Hansel stopped and threw crumbs onto the ground.
Their parents lit a fire and told them to sleep. "We are going to cut wood, and will fetch you when the work is done," said their mother.
Gretel shared her bread with Hansel and they both waited and waited. But no one came.
"When the moon rises we'll see the crumbs of bread and find our way home," said Hansel.
The moon rose but the crumbs were gone.
The birds and animals of the
wood had eaten every one.

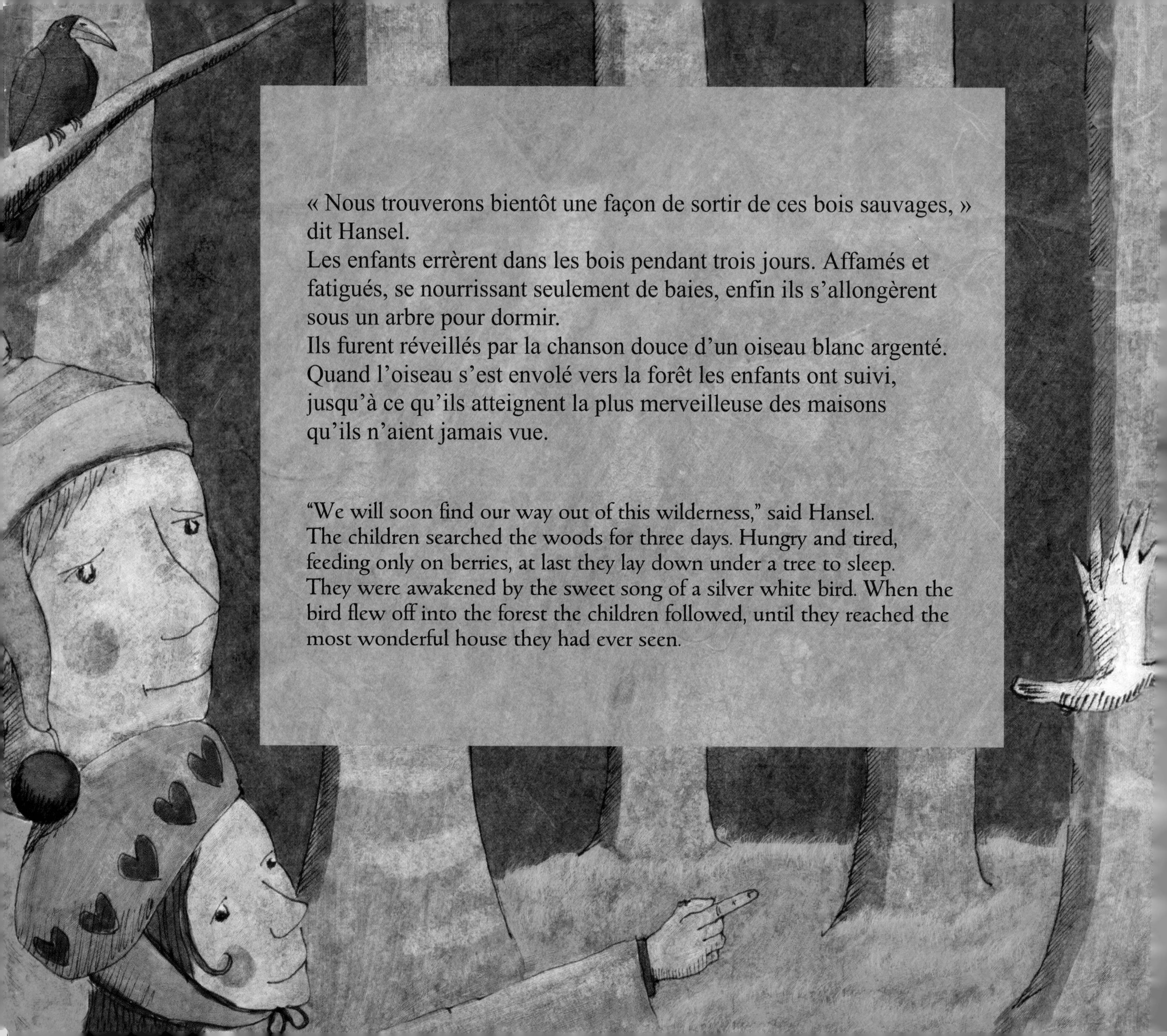

« Nous trouverons bientôt une façon de sortir de ces bois sauvages, » dit Hansel.
Les enfants errèrent dans les bois pendant trois jours. Affamés et fatigués, se nourrissant seulement de baies, enfin ils s'allongèrent sous un arbre pour dormir.
Ils furent réveillés par la chanson douce d'un oiseau blanc argenté. Quand l'oiseau s'est envolé vers la forêt les enfants ont suivi, jusqu'à ce qu'ils atteignent la plus merveilleuse des maisons qu'ils n'aient jamais vue.

"We will soon find our way out of this wilderness," said Hansel.
The children searched the woods for three days. Hungry and tired, feeding only on berries, at last they lay down under a tree to sleep.
They were awakened by the sweet song of a silver white bird. When the bird flew off into the forest the children followed, until they reached the most wonderful house they had ever seen.

The walls were tiled with strawberry tarts,
the roof was made of chocolate hearts.
Around the windows were caramel frames
and the pathway was lined with candy canes.
"Now we can eat!" said Hansel and he bit off
a piece of the roof.
Suddenly, they heard a voice. "Jimney, Jimney,
who's that nibbling at my chimney?"
"It's the wind, it blows right in," they
answered, and went on eating.
All at once the door opened and a strange,
shrivelled woman appeared. Beyond her tiny
spectacles she had blood red eyes.
Hansel and Gretel were so frightened they
dropped their sweets.
"What brought you here, my dears?" she said.
"If it is hunger, then come and see what I
have for you."
She took them by the hand and led them
into her little house.

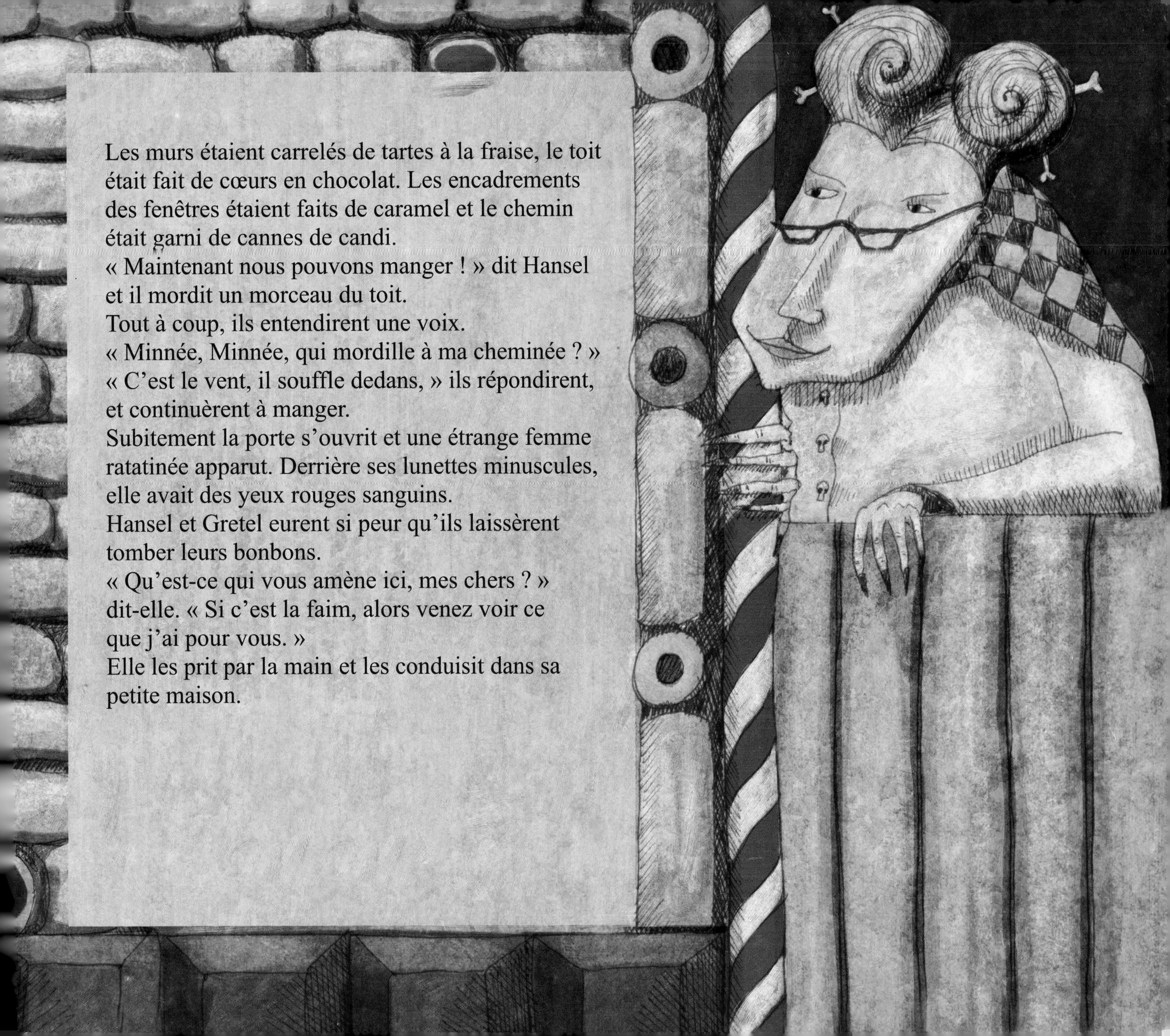

Les murs étaient carrelés de tartes à la fraise, le toit était fait de cœurs en chocolat. Les encadrements des fenêtres étaient faits de caramel et le chemin était garni de cannes de candi.
« Maintenant nous pouvons manger ! » dit Hansel et il mordit un morceau du toit.
Tout à coup, ils entendirent une voix.
« Minnée, Minnée, qui mordille à ma cheminée ? »
« C'est le vent, il souffle dedans, » ils répondirent, et continuèrent à manger.
Subitement la porte s'ouvrit et une étrange femme ratatinée apparut. Derrière ses lunettes minuscules, elle avait des yeux rouges sanguins.
Hansel et Gretel eurent si peur qu'ils laissèrent tomber leurs bonbons.
« Qu'est-ce qui vous amène ici, mes chers ? » dit-elle. « Si c'est la faim, alors venez voir ce que j'ai pour vous. »
Elle les prit par la main et les conduisit dans sa petite maison.

Hansel et Gretel mangèrent plein de bonnes choses! Des pommes et des noix, du lait et des crêpes couvertes de miel.
Ensuite ils s'allongèrent dans deux petits lits couverts de lin blanc et dormirent comme s'ils étaient au paradis.
Les scrutant de près, la femme dit « Vous êtes tous les deux si maigres. Faites de beaux rêves pour le moment, demain vos cauchemars commenceront ! »
La femme étrange avec une maison comestible et une vue médiocre avait fait semblant d'être bienveillante. En réalité, c'était une vilaine sorcière !

Hansel and Gretel were given all good things to eat! Apples and nuts, milk, and pancakes covered in honey.
Afterwards they lay down in two little beds covered with white linen and slept as though they were in heaven.
Peering closely at them, the woman said, "You're both so thin. Dream sweet dreams for now, for tomorrow your nightmares will begin!"
The strange woman with an edible house and poor eyesight had only pretended to be friendly. Really, she was a wicked witch!

Au matin la méchante sorcière attrapa Hansel et le poussa dans une cage. Piégé et terrifié, il cria à l'aide.
Gretel arriva en courant. « Qu'est-ce que vous faites à mon frère ? » cria t-elle.
La sorcière rit et roula ses yeux rouges sanguins. « Je le prépare pour le manger, » répondit-elle. « Et tu vas m'aider, jeune enfant. »
Gretel était horrifiée.
Elle fut envoyée travailler dans la cuisine de la sorcière où elle prépara de grosses portions de nourriture pour son frère. Mais son frère refusa de grossir.

In the morning the evil witch seized Hansel and shoved him into a cage. Trapped and terrified he screamed for help.
Gretel came running. "What are you doing to my brother?" she cried.
The witch laughed and rolled her blood red eyes.
"I'm getting him ready to eat," she replied. "And you're going to help me, young child."
Gretel was horrified.
She was sent to work in the witch's kitchen where she prepared great helpings of food for her brother.
But her brother refused to get fat.

La sorcière rendait visite à Hansel chaque jour. « Sors ton doigt, » ordonna-t-elle, « pour que je puisse voir si tu es dodu ! »
Hansel poussa un os porte-bonheur qu'il avait gardé dans sa poche.
La sorcière, qui avait une très mauvaise vue, ne comprenait pas pourquoi le garçon restait si maigre.
Après trois semaines, elle perdit patience.
« Gretel, va chercher le bois et dépêche-toi, nous allons mettre ce garçon dans la marmite, » dit la sorcière.

The witch visited Hansel every day. "Stick out your finger," she snapped. "So I can feel how plump you are!"
Hansel poked out a lucky wishbone he'd kept in his pocket.
The witch, who as you know had very poor eyesight, just couldn't understand why the boy stayed boney thin.
After three weeks she lost her patience.
"Gretel, fetch the wood and hurry up, we're going to get that boy in the cooking pot," said the witch.

Gretel, lentement, chargea le feu dans la cuisinière à bois.
La sorcière devint impatiente. « Ce four devrait être prêt maintenant.
Entre à l'intérieur et vois si c'est assez chaud ! » cria-t-elle.
Gretel savait exactement ce que la sorcière avait derrière la tête. « Je ne sais pas comment, » dit-elle.
« Idiote, toi idiote ! » la sorcière tempêta. « La porte est assez large, même moi je peux y entrer. »
Et pour le prouver elle enfonça sa tête dedans.
Aussi vite que l'éclair, Gretel poussa le restant de la sorcière dans le four brûlant. Elle ferma et verrouilla la porte en fer et courut vers Hansel en criant, « La sorcière est morte ! La sorcière est morte ! C'est la fin de la méchante sorcière ! »

Gretel slowly stoked the fire for the wood-burning oven.
The witch became impatient. "That oven should be ready by now. Get inside and see if it's hot enough!" she screamed.
Gretel knew exactly what the witch had in mind. "I don't know how," she said.
"Idiot, you idiot girl!" the witch ranted. "The door is wide enough, even I can get inside!"
And to prove it she stuck her head right in.
Quick as lightning, Gretel pushed the rest of the witch into the burning oven. She shut and bolted the iron door and ran to Hansel shouting: "The witch is dead! The witch is dead! That's the end of the wicked witch!"

Hansel sauta hors de la cage comme un oiseau qui s'envole.

Hansel sprang from the cage like a bird in flight.

Hansel et Gretel s'étreignirent. Ils dansèrent et chantèrent et coururent de joie. Dans chaque coin de la maison ils trouvèrent des malles pleines de trésors, remplies de perles, d'émeraudes, de rubis et de toutes sortes de précieuses choses. Hansel et Gretel remplirent leurs poches jusqu'à ce qu'elles débordent.
« Nous avons d'étonnants trésors, mais comment pouvons nous nous sauver de ces bois sauvages ? » soupira Gretel.
« Ne t'inquiète pas, ensemble nous trouverons notre chemin, » dit Hansel.

Hansel and Gretel hugged each other. They danced and sang and ran around with joy. In every corner they found treasure chests filled with pearls, emeralds, rubies and all kinds of worldly precious things. Hansel and Gretel filled their pockets to overflowing.
"We have wondrous treasures, but how do we escape from the wild wood?" sighed Gretel.
"Don't worry, together we will find our way home," said Hansel.

Trois heures après, ils arrivèrent à une étendue d'eau.
« Nous ne pouvons pas traverser, » dit Hansel. « Il n'y a ni bateau, ni pont, juste de l'eau claire bleue. »
« Regarde ! Au dessus des ondulations, un canard blanc pur est en train de naviguer, » dit Gretel.
« Peut-être, il peut nous aider. »
Ensemble ils chantèrent : « Petit canard aux ailes blanches brillantes, s'il te plait écoute,
l'eau est profonde, l'eau est large, peux-tu nous transporter sur l'autre rivage ? »
Le canard nagea vers eux et transporta d'abord Hansel puis Gretel prudemment sur l'autre rive.
De l'autre côté ils retrouvèrent un monde familier.

After three hours they came upon a stretch of water.
"We cannot cross," said Hansel. "There's no boat, no bridge, just clear blue water."
"Look! Over the ripples, a pure white duck is sailing," said Gretel. "Maybe she can help us."
Together they sang: "Little duck whose white wings glisten, please listen.
The water is deep, the water is wide, could you carry us across to the other side?"
The duck swam towards them and carried first Hansel and then Gretel safely across the water.
On the other side they met a familiar world.

Pas à pas, ils retrouvèrent le chemin du cottage du bûcheron.
« Nous sommes de retour ! » crièrent les enfants.
Leur père rayonna. « Je n'ai pas eu un instant heureux depuis que vous êtes partis, » dit-il.
« J'ai cherché, partout ... »

Step by step, they found their way back to the woodcutter's cottage.
"We're home!" the children shouted.
Their father beamed from ear to ear. "I haven't spent one happy moment since you've been gone," he said.
"I searched, everywhere..."

« Et Mère ? »
« Elle est partie ! Quand il n'y a eu plus rien à manger elle est partie en disant que je ne la reverrais jamais. Maintenant c'est seulement nous trois. »
« Et nos pierres précieuses, » dit Hansel et alors il mit une main dans sa poche et sortit une perle blanche comme neige.
« Et bien, » dit leur père, « il semblerait que tous nos problèmes se terminent ! »

"And Mother?"
"She's gone! When there was nothing left to eat she stormed out saying I would never see her again. Now there are just the three of us."
"And our precious gems," said Hansel as he slipped a hand into his pocket and produced a snow white pearl.
"Well," said their father, "it seems all our problems are at an end!"